科学大发现

壮观神秘的太空

[美] 保罗·哈里森◎著　许若青◎译

中国少年儿童新闻出版总社
中国少年儿童出版社
北　京

鲁克

鲁克是一位天才少年，他发明了一款名叫"虫洞"的手机 APP（应用程序）。只要用手机自拍一下，他和朋友们就能一起跨越时空，开启科学之旅。

何敏

何敏天资聪颖，甚至可以说是机智过人。她喜欢扮酷，总装作一副心不在焉的样子，其实她对科学有着火一样的热情。

蒋方

蒋方很幽默，总喜欢胡闹。他的脑子转得很快，随口就能讲出笑话来，这或许是他脑子里装了很多知识的缘故吧。

宁宁

宁宁是这群伙伴里年龄最小的一个，大家都很照顾她。她热爱运动，无论是跑跑跳跳还是打球，她都很擅长。

比特

比特是鲁克的小狗，它很喜欢跟着大家一起探险。比特天不怕、地不怕，唯独害怕噪声。

目 录

天公不作美

　　"一切准备就绪，就等晚上观星啦。"鲁克调整好天文望远镜的角度，然后摊开星图、备齐点心。一会儿，他要和何敏、蒋方和宁宁一起看星星。不过，突然出现了一个棘手的问题——阴天了！

　　"真不走运！"鲁克垂头丧气地说，"各位，天气预报明明说今晚是个大晴天的……"

　　何敏往天上看了两眼，"没事儿，如果看不了星星，咱们干点儿别的也行，我们有一段时间没在一起玩儿了。我可不想只为看星星，就在外面待上一宿。"

　　"别想那么多啦，这儿还有零食呢！"宁宁打开了一包巧克力饼干。

　　"有道理！"何敏点了点头。

　　"来吃点儿什么吧，蒋方。鲁克给我们准备了不少好吃的东西呢。"宁宁一边吃，一边招呼蒋方。

　　"我现在不太想吃东西，谢谢！"蒋方闷闷不乐地说。

　　"什么？你不总说自己是零食狂人吗，今天怎么一反常态呀？"宁宁惊讶地说。

　　"蒋方，你今天怎么了？刚才我就看你心事重重的。"何敏把目光投向蒋方。

　　"我也觉得他今天不太对劲儿，眼看观星聚会就要泡汤了，他居然到现在还没有开启他的调侃模式。"鲁克也加入了大家的议论。

　　宁宁开玩笑地说："我以前确实希望你安静一些，不过，虽然今天愿望实现了，但我怎么高兴不起来呀。"

　　蒋方唉声叹气地说："各位，对不起，我有个坏消息……

嗯……或许，应该算是好消息吧，我妈妈升职了。"

"这绝对是个好消息！"何敏说。

"但她可能得换个地方上班了……也就是说，我们可能要搬家了……"说着，蒋方沮丧地低下头。

"搬家？搬到哪儿去？"宁宁问。

"东北……"蒋方轻声说。

"东北？！"大家齐声惊叫。

蒋方回答："我妈妈说那里很凉快……应该说很冷……这样一来，我们可能没办法像现在这样随时见面了！"

"没事的，我们可以通过手机视频通话呀。我们还是可以经常见面的。"宁宁故意转了话题，"我记得东北那边有座大山，听说特别美。"

鲁克接过话茬："说的对，宁宁。蒋方，以后你可以爬上去看看，据说山顶上的天池是世界上最深的高山湖泊呢。"

"你打算什么时候动身？"何敏问。

"现在还不能确定，大概一个月以后吧。我爸妈正在讨论搬家的事呢。"

"到那里要多长时间呀？"宁宁问，"到时候我们去找你玩儿。"

"搬家要带很多东西，可能得开车过去，我感觉去那里比登上月球还麻烦。"

"无论是坐汽车、火车，还是飞机、轮船，我保证去东北比去月球舒服多啦。"鲁克摆了摆手，然后拿出手机开始搜索，"除了刚才说的那座山，你还可以去雾凇岛看雾凇……去更靠北的地方看极光……"

"我的鼻子和耳朵都会被冻得通红通红的，对吧？"蒋方发起牢骚。

"不会的！多穿点儿就行啦。住在东北可比去月球有意思多啦。"

"鲁克，你总说月球，人能在月球上生活吗？"宁宁问。

"月球上什么都没有。我保证，你绝对不想住在月球。"

"我现在就想去月球试试！"蒋方对月球很感兴趣。

何敏完全不相信蒋方的话，"别开玩笑了！那可是月球，我可不想去，所有有趣的玩意儿可都在地球上呢。"

"其实，我能用最快速度解决大家的争论。"鲁克笑着说。

"'虫洞'应用程序吗？"宁宁会心一笑。

"说对啦。快！大家凑近点儿。"鲁克掏出手机，伸直胳膊，按下了出发按钮。

一道闪光！

时空转换——

大家身边的影像瞬间变成了月球表面，原来整洁的房屋、树木和街道变成了覆盖着厚厚尘土的陨石坑、岩石和光秃秃的平地。

宁宁看了看天上，又看了看地面，诧异地问："这儿可真奇怪，地面上明明是亮的，天空却是黑洞洞的。"

鲁克解释道："那是因为地球周围包裹着厚厚的大气层，当太阳光进入大气后会发生散射，而蓝色光是最容易被散射的，所以天空看起来就是蓝色的。月球没有大气层，自然也就看不到蓝天了。"

"月球上没有空气？！那咱们怎么呼吸呀？"蒋方刚说完，顿时感觉自己胸闷、气短、无法呼吸。

"别紧张！"鲁克不慌不忙地说，"这是虚拟现实，我们现在看到的是'虫洞'营造的虚拟影像。其实，咱们还在我家院子里，并没有真的在月球上。"

"那里……是地球吗？"何敏指着天边一颗被浅蓝色、白色和绿色覆盖的星球问道。在茫茫宇宙的映衬下，地球像极了璀璨的蓝色宝石。

"嗯，很美，对不对？"

"真是太美了！太美了！太美了！"宁宁止不住地赞叹，"嘿！那里是非洲吧？真的和世界地图上的轮廓一样呢！"

何敏低下头，看了看脚下，"咦，月面怎么坑坑洼洼的？"

"这些都是陨石坑，来自几百万光年之外的宇宙来客撞击月球之后，就留下了这些痕迹。"

"这就奇怪了，月球离地球这么近，照理说，月球经历了这么多次的陨石撞击，那么地球肯定也会遭到宇宙来客的袭击，地球是如何做到安然无恙的呢？"蒋方问。

"因为有大气层的保护。"鲁克解释道，"蒋方说的对，宇宙来客同样经常到访地球，不过它们在下坠时会与大气层剧烈摩擦，产生大量的热，然后燃烧起来，大多数宇宙来客还没到达地面，就燃烧殆尽了。"

"哇，所以说，大气层不仅给了我们一片蔚蓝的天空，还时时刻刻保护着我们呢。"蒋方说。

宁宁往远处看了看，"我发现，月面上除了这些大大小小的陨石坑，其他地方好像是刚下完雪的地面或是没人踩过的沙滩一样，连个脚印都没有。"

"脚印？"鲁克笑着说道，"脚印马上就来啦！快看身后。"

大家转过身来才发现，在原来鲁克家的方向立着一个登月舱，与人们所熟悉的宇宙飞船的样貌大相径庭，它的上半部分满是各种仪器设备，样子像极了堆在一起的铁盒子，下半部分是用金属材料包着的支架，在阳光的照射下发出金色的光芒。

"这就是大名鼎鼎的阿波罗 11 号飞船的鹰号登月舱。快看，舱门打开了！"鲁克激动地说。

一架梯子从舱门中伸出来，缓缓支在月面上。

"我们在见证历史！"蒋方兴奋起来，"我知道了，这是人类第一次登上月球！飞船上的两位航天员是尼尔·阿姆斯特朗和巴斯……光年？不，不对……我好像记错了。"

"你确实记错啦！是巴兹·奥尔德林。"鲁克笑着说，"现在是 1969 年 7 月 21 日，阿姆斯特朗马上就要踏上月球了。其实，除了阿姆斯特朗和奥尔德林，迈克尔·柯林斯正在绕月飞行轨道的指令舱中工作呢，那也是阿波罗 11 号飞船的一部分。"

何敏撇了撇嘴，"我可不想被关在那么小的空间里面！我知道，宇宙飞船里的空间都特别小。"

"快看！"鲁克说。

大家看到，阿姆斯特朗和奥尔德林从登陆舱中缓缓爬出，先后站在了月面上。阿姆斯特朗骄傲地说："这是我个人的一小步，却是全人类的一大步。"

"咱们躲在那块大石头后面看吧，别吓着他们。"鲁克

8

提议，"比特，快过来。"

蒋方小声说："我一直搞不明白，他们为什么要穿航天服出舱呢？太笨重了。"

"为了活下来呀。"鲁克告诉大家，"航天服能保护航天员，防止真空、高温低温、太阳辐射和微流星等对航天员造成危害。说的简单点儿，就是为了保障航天员的生命活动……要知道，咱们要是真在月球上的话，不仅没法活下来，也不可能这么对话，因为月球上没有空气，咱们没法呼吸，声波也无法传播。"

"这么可怕！我绝对不会离开地球半步的！"何敏坚定地说。

"瞧！他们走路的样子可真奇怪！"宁宁看到两位航天员一跳一跳地向前行进，笑着说，"真希望我也能有他们那样的弹跳力，这样，我就能打破学校的跳高纪录啦！"

"要是真的在月球上，你确实可以像他们一样拥有很棒的弹跳力，因为物体在月球上受到的重力要比在地球上受到的重力小很多，所以他们能跳得很高。"

"哇，我们也行吗？"蒋方一副跃跃欲试的样子。

"如果你真喜欢跳来跳去的话，我建议你先弄个蹦床吧。也许以后我会去东北找你一起玩儿蹦床呢。"

它们和地球很像吗

鲁克关上"虫洞"应用程序，虚拟影像伴随着一阵闪光逐渐消失。

"每次你关上'虫洞'之后，我都得缓上好一会儿才能睁眼……"何敏抱怨道。

"我觉得这说明你的适应能力不够强啊。"蒋方开玩笑地说，"对了，你们真的会到东北来找我玩儿吗？"

"当然啦！要是没有你，在玩儿智力问答时，我都不知道怎么排除错误选项啦。"宁宁淘气地戳了下蒋方的胳膊。

"别发愁了，我们都会去看你的，对吧，何敏？"鲁克想安慰蒋方。

"坐飞机很快就到了。"何敏附和道。

"我看过地图，东北可远了！"蒋方还是有些不太相信。

鲁克一本正经地说："说到距离的话……对也不对。从地图上看，东北确实很远，但是要从太空的角度来说的话，可就不算什么了……"

"太空，太空，太空，怎么又是太空！"何敏喃喃地说。

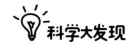

"怎么了，何敏？你不喜欢太空吗？"鲁克问。

"太空有什么好的？月球上除了尘土和坑坑洼洼的表面，什么都没有。太空中其他地方肯定也好不到哪儿去。不像咱们的地球，既有各种各样的动物，也有生机勃勃的植物，还有各种各样的天气……"

"可是太空很神奇啊……"听到这些，鲁克一时不知该说什么，"……好吧，我知道了，我想咱们应该逛遍整个太阳系。"

"太阳？系？"蒋方好奇地问。

"对！书上说，太阳系是'以太阳为中心，受太阳引力约束在一起的天体系统'。太阳系包括太阳、围绕它运转的行星和这些行星的卫星，以及矮行星、小行星、彗星和行星际物质。"

"什么？太阳看起来那么大，它也是颗星星吗？咱们看到的星星可都很小啊。"宁宁惊讶地问。

"是的，这个问题咱们一会儿再说。现在，咱们先来看看这个……"说着，鲁克便用手机投射出太阳系的三维动态影像，"看呀，这就是太阳系。何敏，我保证，等你看完后，一定会改变想法的。"

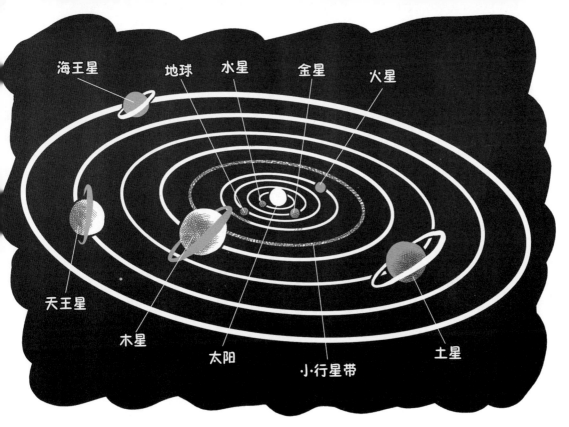

"但愿如此。"何敏怀疑地盯着鲁克。

"比特，你也一起来吧。"鲁克招呼大家凑在一起，还不忘叫上好奇的小狗。

一道闪光！

时空转换——

闪光过后，"虫洞"为小伙伴们呈现出的虚拟空间是一个地面上覆盖着银灰色灰尘的地方，周围依然布满了大大小小的陨石坑。

"咦，咱们又回到月球了吗？不对，感觉哪里不太一样。"

宁宁兴奋地自问自答。

鲁克给大家讲解起来："这里确实很像月球，但这里确实不是月球，而是水星。"

"太阳！真大！真亮！"蒋方一手遮住眼睛，一手指着天上喊道。

"水星是最靠近太阳的行星，也是八大行星中最小的一颗。构成水星的物质和组成地球的物质基本一致。"鲁克眯着眼睛解释。

"别逗了！这里怎么可能和地球一样？"蒋方不相信鲁克的说法，"要知道，开玩笑可是我的专属绝活儿。"

"我可没有开玩笑，太阳系中有 4 颗行星都是以硅质岩石为主要成分的，分别是水星、金星、地球和火星，这就是我们常说的类地行星。"

"既然是类地行星，那水星的个头儿也和地球一样吗？"宁宁追问。

"不是的，水星的个头儿要比地球小一些。如果说地球有棒球这么大，那么水星的个头儿就是乒乓球的大小。"鲁克用手机投射出一个棒球和一个乒乓球，比画着说，"而且，一个天体的体积越小，它对位于它表面和附近物体的引力就

越小。所以，我们在这里会感觉身体轻了许多。"

"对对对！我就说嘛，这里和月球很像！"宁宁高兴地围着大家蹦来蹦去。

"水星既然是类地行星，为什么没有动物和植物？这里太荒凉了！"蒋方反驳道。

"让我查一查……"鲁克翻看着手机页面，解释道，"这是因为水星自身的引力和磁场很弱，无法将大气聚集在它周围。同时，水星是距离太阳最近的行星，受强烈的太阳风影响，即使产生了大气，也会被太阳风无情地吹走。没有大气，就没有可供呼吸的氧气，自然不适合动物和植物生存。"

"可是，我还挺喜欢这儿的。"宁宁完全没有停下来的意思。

"走吧，咱们可不能把时间都花在第一站上。下一站，咱们去地球的姊妹星吧。"

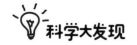
"但愿那里更有意思。"何敏勉强打起精神。

一道闪光！

时空转换——

闪光过后，大家的周围变成了一片平原，远处，巨大的山峰高高耸立。

"这地方又干又热，地球和金星这对'姊妹'肯定不是孪生的。"蒋方开玩笑地说。

"哈哈，你的比喻很恰当！"鲁克笑着说，"金星之所以被称作地球的姊妹星，是因为它的大小和构成与地球的相似。不过，金星的运行轨道要比地球的运行轨道更靠近太阳，所以它绕太阳一周只需要 225 天，比地球绕太阳一周所需的时间短 140 天。"

宁宁踢着干裂的地面，问："这儿有水吗？"

"金星表面是没有水的。不过，在金星的大气中有一丝水汽存在。"

"嗯，确实，这里要比水星好点儿，至少天上有云彩。"何敏指着天上说。

"是的，那确实是云彩，但它的主要成分是硫酸。"

"呃！太糟糕了……"何敏又开始抱怨起来。

"要知道，'虫洞'营造的只是虚拟影像，要真在金星上的话，咱们早就没命了，因为金星大气的主要成分是二氧化碳，氧气含量非常低。不仅如此，金星表面的温度有460多摄氏度呢！"

"呀！那咱们岂不是要变成烤肉啦！"何敏说。

蒋方抬起头望了望远处巨大的山峰，"那些是什么？是火山吗？"

"金星上也有火山吗？这倒是头一回听说。"何敏的好奇心也被激发起来。

"是的。"鲁克继续给大家讲解起来，"在中国，人们称金星为'太白金星'，这是一位神仙的名字，它还有'启明''长庚'等美名。古希腊、古罗马人用爱与美的女神'阿芙洛狄忒''维纳斯'的名字来称呼金星。我敢保证，如果古人能到金星上来，仔细看一看金星的真面目，肯定起不出这些美好的名字。"

蒋方撇撇嘴，"看来这个地方也不适合居住啊！相比之下，我觉得还是东北好一些。"

"说的对，鲁克，咱们快点儿走吧。"宁宁催促道。

"没问题！下一站咱们就去地球的另一个邻居那儿看看

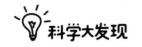

吧。"说着，鲁克按下了手机的出发键。

一道闪光！

时空转换——

鲁克张开双臂，热情地为大家介绍闪光过后出现的影像："欢迎来到这个红色的星球——火星。虽然这里看上去和地球截然不同，但是和水星、金星比起来，火星更适宜人类居住。"

"这里为什么看上去一片通红？"宁宁四下看了看。

"因为火星的岩石和尘土里含有丰富的铁元素。"

何敏小声嘟囔："一个锈迹斑斑的星球。要是想看铁锈，到废品回收站那里也能看到。"

"看，龙卷风来了！"蒋方大叫。

远处，一个翻腾着红色尘土的巨大风柱一路席卷而来。

"这是尘旋风，样子很像地球上的龙卷风。这里要刮沙尘暴了。在火星上，平均每10年会发生一次覆盖整个星球的大规模沙尘暴。"鲁克一边比画，一边继续说，"有沙尘暴就必然有风，从这方面来说，火星和地球还是十分相似的。"

"那还有其他相似之处吗？"蒋方追问。

"有，科学家在火星的云层中发现了固态水。"

"固态水？那不就是冰嘛。这可是个重要的发现！"宁

宁有些吃惊。

"是啊，人们曾梦想在火星上建立居住点，甚至梦想着把火星作为一个科学基地，帮助人们更加深入地探索太阳系。"

"有了水，这个梦想就可以实现了吗？"蒋方问。

"至少是向前走了一步。此外，火星的引力要比地球的小一些，在火星上发射火箭会更容易一些。"

"在火星上生活，听起来好像有点儿意思。"宁宁笑着说。

"要是有的选，我更愿意和蒋方在一起，生活在东北。"何敏仍然坚持她的想法。

"从地球到火星要多久？"蒋方好奇地问。

"大概要6个月吧。"鲁克翻动手机，找到了答案。

"哇！那可真是长途跋涉啊，要6个月的时间，估计我都能走到东北了！"

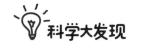

气态巨行星

鲁克关闭"虫洞"应用程序，不情愿地说："我还是先把天文望远镜收起来吧。"

"先别着急收，也许一会儿天就转晴了呢。"蒋方拍了拍鲁克的肩膀，"我们刚才去了水星、金星和火星，太阳系中一定还有其他星球，对吧？"

"准确地说，太阳系中有八大行星，除了水星、金星、地球和火星外，还有木星、土星、天王星和海王星。"鲁克一边说，一边掰着手指数。

"还等什么？快出发吧！"蒋方说。

"又要去看光秃秃的大石头和荒凉的戈壁沙漠吗？"何敏无精打采地问。

"这回和刚才不一样。"鲁克摆摆手，然后看向比特，"一起去看看吗，小家伙？"

看到比特一溜烟儿地跑回屋里，何敏也打起了退堂鼓，"你们看，比特也觉得接下来的旅程没什么意思，或许，我应该去陪它。"

"相信我，这次的旅程肯定不会让你后悔的。再说，'虫洞'什么时候让我们失望过？我什么时候让大家失望过？"鲁克信心满满地说。

宁宁急忙打断鲁克，撇着嘴说："等等！'虫洞'确实没有让我们失望过，你就算了吧！我还记得上回那个创意车赛呢，你竟然忘了给赛车装刹车！"

"呃……不过，那次我们赢了啊。"鲁克辩解道。

"可是我掉进了鸭子池塘！"宁宁大声说。

"……总之，相信'虫洞'就对了……"不等大家辩驳，鲁克赶紧调整"虫洞"应用程序的设置，按下出发键。

一道闪光！

时空转换——

"我还没说完呢……"宁宁叫嚷着。

当新的影像在他们身边展开，小伙伴们发现自己已经穿行于虚拟的太空里了。他们眼前是一颗巨大的星球，白色和橙色相间的光带环绕着这颗星球旋转。

"哇！终于有点儿太空的感觉了！"蒋方感叹起来。

"咱们眼前的木星是太阳系当中最大的行星，大到其他7颗行星加在一起都没它的一半重。看到木星上那些明暗相

间的条纹了吗？那是木星的云层，科学家们称较亮的部分为亮带，称较暗的部分为暗带。"

"咦，那儿有个巨大的红色斑点，那是什么？"何敏好奇地问。

"那是木星最明显的标志——大红斑，是木星上最大的风暴气旋，它的直径有 25 000 千米，比地球的直径还长呢！人们是在 17 世纪首次观测到大红斑的，它至少存在了 300 多年，而且从未完全消失过。"

"这个大红斑可真神奇！"何敏看着不断变换的木星云

层感叹道。

"我想我们还是不要在大红斑附近登陆了。"宁宁战战兢兢地建议。

"哈哈，咱们没办法在木星登陆，因为从木星开始，接下来咱们要探访的这些行星都是由气体组成的，所以科学家称这种行星为气态巨行星，也叫类木行星。"鲁克不慌不忙地解释。

"气体？那我们能从木星中间穿过去吗？"宁宁脑洞大开，提出了一个有意思的问题。

"就算木星是由气体组成的，咱们也没办法穿过去。因为受到木星引力的作用，木星中的所有气体都在向下压，就像地球的大气压一样。如果我们坠入了木星，气压会变得越来越大，气层却逐渐变得稀薄，到了云层下很深很深的地方，这些气体由气态变成了液态……"

"我没那么娇气，才不担心被液体弄湿呢。"宁宁故作镇定地说。

"咱们暂且不考虑人是否能在那么高的气压下存活，就说木星的内核吧，那可是石质的，你不想撞向石头吧？"

大家绕着木星转来转去，都惊讶于它的巨大身躯。

"那些绕着木星的圆环是什么？看起来晶莹剔透的，真好看！"蒋方指着木星外围的大圆环，数着圆环的层数，"1，2，3，4……有4层呢！"

"那是围绕在木星周围的行星环，它们主要由尘埃组成。咱们下一个要去的行星，是以美丽的行星环著称的土星。咱们赶快动身吧，那儿的行星环更壮观。"说着，鲁克调整了一下"虫洞"的设置，大家疾速穿过漆黑的太空，来到了下一站。

"这是太阳系第二大行星——土星，它也是一颗气体巨星。"鲁克指着土星巨大的光环说，"怎么样，土星环是不是很漂亮？"

大家争先恐后地凑上前，仔细观察起来。在太阳光的照射下，土星环显得格外宽阔宏大、光彩熠熠。

何敏被眼前的景象迷住了，不住地感慨："哇，它们可真漂亮！"

宁宁漂到何敏身旁，"真没想到，土星环这么宽广，还是一圈一圈的，真美啊！"

鲁克招呼大家过来，"咱们靠近点儿看看，土星环其实可以分成几个不同的部分，其中最明亮、最宽阔的是A环和

24

B环，C环相对较暗，环与环之间有非常明显的环缝，它们构成了土星的主环系统。在主环系统外，还有 D 环、E 环、F 环、G 环，不过它们相对暗了许多。"

"鲁克，土星环也是由尘埃构成的吗？"蒋方问。

"不是。土星环中颗粒的主要成分是冰，另外还有少量尘埃和其他化学物质。"

大家拨开冰块，从土星环的一侧穿行到另一侧。

"土星环真薄呀！我以为要穿行很远呢。"宁宁回头看了一眼穿过的路径。

鲁克点点头，"说的对！土星环上大部分地方只有 30 多米厚，但是它们延展得非常宽，从厚度上来说，土星环称得上锋利的刀片。"

"土星环太神奇了！怎么看都看不腻！我们再欣赏一会儿吧。"说完，宁宁便挥动胳膊，拉着蒋方往远处漂。

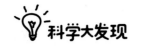

鲁克赶紧叫住了他们俩："时间紧迫，咱们还是先看完后两个行星再说吧……"

闪光过后，映入大家眼帘的是一颗巨大的浅蓝色的星球。

"它是天王星，是我们在地球上用肉眼能够看到的最远的太阳系行星了，它距离太阳大概有 29 亿千米呢！"

"这也太远了！"何敏惊讶地说。

"因为远离炽热的太阳，天王星的表面温度在零下 200 摄氏度以下，快接近绝对零度了。"鲁克不由自主地吸了下鼻子，"和木星、土星一样，天王星也是由气体构成的。"

"跟美丽的土星相比，天王星好像没那么有趣。"蒋方顿时觉得寒意浓浓。

"不过，天王星倒是有一个很神奇的特点——它是横着自转的，就像躺下了一样。打个比方吧，假设我们把自转着的地球看作旋转的陀螺，那么自转着的天王星就像是滚动的车轮。"

"快，咱们去下一站！"说着，鲁克便带着大家火速向前进发。

"咱们又回到天王星了？"何敏问，"鲁克，是不是'虫洞'出故障了？"

"没有啊，一切正常。你是觉得它很像天王星？但它是海王星。并不是只有地球才有姊妹行星，天王星和海王星不仅大小相仿，构成它们的物质也基本相同。不过，海王星不是躺着自转的。"

"话说回来，这些行星的名字都挺奇怪的。金木水火土……天王、海王……我只知道金木水火土是我们传统文化中的五行，后面两个总感觉不搭界啊。"宁宁疑惑地问。

"问得好！在古代，人们只能用肉眼观测星空，中国人将发现的 5 颗行星用五行进行命名，而欧洲人用罗马诸神来给行星命名。后来，欧洲人发明了望远镜，透过望远镜又发现并命名了两颗行星，人们就直接使用了天王星和海王星这两个名字。"鲁克不慌不忙地给大家讲解，"我想，咱们应该向约翰·波得请教请教，他生活在 1782 年的德国。"

一道闪光！

时空转换——

闪光过后，伙伴们看到一位先生，他站在桌子旁边，仔细研究铺在桌子上的恒星图和太阳系运行图。他穿着一件厚厚的高领大衣，脖子上围着好几圈围巾。

波得看到几个小伙伴后，并没有很惊讶，而是热情地招

呼大家一起研究。他指着恒星图，说："它不是彗星，经过我的计算，它是一颗行星。我提议，应当把这颗最新发现的行星称为乌拉诺斯（就是我们所说的天王星）。"

"最新发现的？"蒋方小声问鲁克。

"是呀，那时天王星刚刚被确认为行星。人们还不知道在太阳系中还有距离太阳更远的海王星呢。"鲁克轻声回答。

"波得先生，请问，您为什么提议把这颗行星称为乌拉诺斯呢？"何敏虚心地上前请教。

波得笑着解释道："我提议称它为乌拉诺斯有两个原因：一是，当前已知的5颗行星都是用罗马诸神的名字来命名的，按照这个逻辑，用天空之神乌拉诺斯的名字给新行星命名是

没有问题的……"

鲁克转过头小声给大家讲解："在欧洲，人们称水星为墨丘利（Mercury），这是众神的使者的名字；称金星为维纳斯（Venus），这是爱与美的女神的名字，这个之前大家已经知道了；称火星为玛尔斯（Mars），这是国土、战争、农业和春天之神的名字；称木星为朱庇特（Jupiter），这是统领神域和凡间的众神之王的名字；称土星为萨图恩（Saturn），这是各神的保护神的名字；称天王星为乌拉诺斯（Uranus），这是天空之神的名字；称海王星为尼普顿（Neptune），这是大海之神的名字。而地球（Earth）这个词来源于盎格鲁－撒克逊语中的'Erda'，意思是'地面''土壤'，这个名字已经有1000多年的历史了。"

"……二是，从发现顺序看，这颗行星的发现晚于土星，而土星的发现又晚于木星。在罗马神话中，萨图恩是朱庇特的父亲。所以，用萨图恩的父亲乌拉诺斯的名字来命名这颗新行星再合适不过了。"

蒋方大笑起来，"我明白了，如果用我的名字命名土星的话，那天王星就应该叫蒋志国了，那是我老爸的名字。"

波得和其他几个孩子被蒋方的话逗得哈哈大笑。

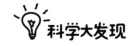

矮行星和彗星

鲁克掏出手机，开始调整"虫洞"应用程序的设置。一阵闪光过后，约翰·波得的影像越来越模糊，然而，"虫洞"仍在继续工作，大家到了另一片太空区域。

"咦，咱们这趟旅行还没结束吗？我以为鲁克关上'虫洞'了呢。"何敏有些摸不着头脑，"咱们这是在哪儿？"

鲁克顽皮地眨了眨眼，"哈哈，就在要关上'虫洞'的时候，我突然想，既然咱们感受过了海王星的奇妙世界，不如再看看太阳系八大行星之外有什么。"

大家跟着鲁克在虚拟太空中快速穿梭。很快，他们的面前出现了一个暗淡的大冰球。

鲁克指着大冰球，说："这是冥王星，它曾经被认为是太阳系的第九大行星。"

"曾经？我想你的意思是冥王星现在不是行星了，我说的对吗？"宁宁咬文嚼字地问。

"宁宁，你的反应真快！的确如此。冥王星主要是由岩石和冰构成的，它的个头儿非常小，直径还不到地球直径的五分之一。"

"这么小啊，月球都比它大。"何敏觉得很惊讶。

"说的对。冥王星是 1930 年被发现的，起初人们把它当作太阳系的第九大行星。但是从 20 世纪 90 年代开始，科学家们陆续在海王星轨道外侧的柯伊伯带发现了许多与冥王星体积相同的天体，这说明冥王星只是柯伊伯带天体中的一员。"鲁克低着头，继续读着在手机上搜索到的资料，"尽管冥王星绕着太阳公转，尽管它也是球形的，但是冥王星无法清除所在公转运行轨道上的其他天体。经过漫长的研究和讨论，科学家们终于在 2006 年将冥王星列入小行星星表，并称它为矮行星。"

"因为冥王星个头儿小，没办法清除轨道上的其他天体，科学家就把它赶出了行星家族，这太不公平了吧？"宁宁为冥王星"打抱不平"。

蒋方狡黠地笑了笑，"嘿！宁宁，你也很小啊，要是我们把你赶走，你不会哭鼻子吧？"

宁宁没好气地反驳："想得美！别忘了，过些日子你要去东北呢！看，冥王星表面全是冰，和东北一样，也许你更适合搬到冥王星去！"

鲁克接话道："冥王星可比东北冷多了，它大概是太阳系里最冷的地方了。

"冥王星为什么会这么冷呢？我觉得东北已经够冷的了。"蒋方撇了撇嘴，他又想起了要去东北的事。

"它离太阳太远了，有 40 个天文单位那么远！"

"等等，什么是天文单位？"何敏追问。

"问得好！天文单位是天文学中计量天体之间距离的一种单位，用'A.U.'表示，数值取地球和太阳之间的平均距离，一个天文单位是 149 597 870 700 米。"鲁克看着手机解释道，"距离太阳 40 个天文单位的冥王星绕太阳一圈需要大约 248 个地球年呢。"

"哈哈，蒋方要是住在冥王星上，那他过下一个生日就是 248 年后啦！"宁宁笑着说。

"好吧，去东北至少我一年能过一次生日。"蒋方苦笑了一声。

"鲁克，除了八大行星和那些矮行星，太阳系里还有别

的吗？"何敏换了个话题。

"当然有了，现在咱们去看一件文物吧。"鲁克调整了一下手机设置，太空场景里忽然漂出一个长长的挂毯，上面满是用彩色丝线绣出的图案，看样子像是记录着一场宏大的中世纪战争。

"这是什么？"何敏问。

鲁克一边在手机上翻阅资料，一边给伙伴们讲解："这是贝叶挂毯，上面记录着1066年10月14日在英格兰南部城市黑斯廷斯发生的一场战役，后人把这场战役称为黑斯廷斯战役。"

"我们聊的不是太空吗？怎么突然来了这么多古板教条的中世纪骑士？"蒋方开玩笑地说。

"看这里。"鲁克指着挂毯上的一个区域继续说，"看到那个拖着大尾巴的星星了吗？它是彗星，准确地说，是哈雷彗星。"

"鲁克，那些人在打仗，还有心情看星星？"蒋方很疑惑。

"人类自古就有观星的习惯，只不过那时的人们还不太了解天体的运行规律。在黑斯廷斯战役打响前，英格兰人看到夜空中出现了一颗彗星，他们中的大多数都认为这很不吉

ISTI MIRANT STEUA

利，预示着他们会输掉这场战争。"

"彗星？"蒋方觉得这个名字很陌生。

"对，彗星也是绕着太阳运行的天体，主要由冰物质构成。当彗星接近太阳时，它会在太阳的辐射作用下分解成彗头和彗尾，形状很像一把扫帚；而远离太阳时，它就像一个巨型的脏雪球。"

"彗星真的是不祥之兆吗？"宁宁好奇地问。

"这场战争的结果嘛……英格兰确实战败了，但是这和天上的哈雷彗星没有一丁点儿关系。"鲁克很肯定地说，"我想我们可以去拜访一下为这颗彗星命名的人。"

"他是黑斯廷斯战役里的骑士吗？"

34

鲁克一边调整"虫洞"应用程序的设置，一边说："不是。为这颗彗星命名已经是 674 年之后的事了。下一站，咱们要到 1740 年英国伦敦的格林尼治，去找埃德蒙多·哈雷先生。"

小伙伴们紧紧凑到了一起。

一道闪光！

时空转换——

闪光过后，周围的影像变换为地球上的一间屋子。这里的装饰非常精美，窗边的桌子上立着一架老式望远镜，一位戴着豪华卷曲假发的先生，正在认真地记录着什么。

哈雷发现了突然出现的几个孩子，他并不惊讶，而是和蔼地说："欢迎啊，孩子们！你们这么年轻就成为科学家了？真是后生可畏啊！不过，今天可能不太适合观测星空，今晚大概都是阴天。唉，天气的变化总是出乎意料。"

"哈雷先生，您好！"鲁克毕恭毕敬地说，"我们想向您请教一下有关彗星的知识。"

哈雷微微笑了一下，"现在天上就有一颗彗星，不过，我得先解释一下什么是彗星……"

"彗星是一种拖着尾巴的星星，就像扫帚一样。"蒋方抢着回答。

哈雷点了点头，表示同意，"对，你说的没错。很多人都认为天空中出现彗星是个偶发事件，但我认为彗星也是绕着太阳运行的，它的运行轨道又扁又长。彗星从天空中消失后，并没有飞离太阳系，只是大家观测不到它了而已。"

"这么说，您能预测这颗彗星下次到访地球的时间？"鲁克好奇地问。

"是的。我在翻阅历史文献的过程中发现，每隔76年就会集中出现一些有关彗星到访地球的记录。虽然史料中的语言表述不尽相同，但是仔细研究这些资料后，我推测它们记

录的可能是同一颗彗星。如果我预测的没错，这颗彗星将在1758 年再次到访地球。不过，我得活到 102 岁才能再看到它。"说着，哈雷先生透过窗户向天上望了几眼，遗憾地叹了口气。

"按照您所说的彗星到访地球的周期来计算，出现在贝叶挂毯上的彗星，应该就是您说的那颗彗星！"鲁克激动地说。

"是的。当时英格兰人所说的不祥之兆，却成了我的吉兆！我想，我们应该给这颗彗星取个名字。"

"叫哈雷彗星，怎么样？"鲁克调皮地眨了眨眼。

"不错，这个名字我很喜欢，就这么定了！"哈雷满脸微笑。

和哈雷先生道别后，围绕着大家的影像消失了。

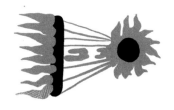

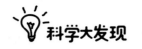

恒星的巨大能量

"太奇怪了，看了这么多行星，只有地球适合人类居住。"蒋方自言自语。

"是呀，我们人类只有一个家园，那就是地球。"鲁克一边感叹，一边翻看手机，"这很大程度上是太阳的作用。不过，人们竟然在这几百年才真正意识到这一点。"

"鲁克，我猜咱们又要出发啦！"宁宁抱起刚来到院子里的比特，轻轻地挠了挠它的耳朵。

"你猜对啦！准备好，咱们找哥白尼去！"

一道闪光！

时空转换——

"哥白尼住在哪儿？"何敏的问题刚说出口，大家就已经来到了一座用红砖砌成的建筑。

"我是尼古拉·哥白尼，你们也是来看我的新书的吗？"一位老者慢慢地向大家走来，他身穿厚厚的毛皮大衣，一头又长又卷的银发很显眼，"真是抱歉，书稿还在做最后的润色，你们还得等一阵子才能看到它。"

"哥白尼先生，您好！我们想向您请教一个问题，就是行星是如何运行的。"鲁克恭敬地说。

"来，咱们坐下聊吧。我现在的身体可没以前那么硬朗了。"哥白尼把大家引到一张桌子前。

"这里是哪儿？他说的书，到底是什么书？"何敏拽了鲁克一下。

"这里是1543年波兰东北部的弗龙堡教堂，哥白尼刚刚提到的那本书是《天体运行论》。"

"这名字听着就觉得很深奥，书里讲的是天体运行的规律吗？"

"是的。咱们先听听哥白尼是怎么说的吧。"

哥白尼拿来一个用木条围成的圆球状的模型，圆球中间有一个小球，代表太阳。"许多人都认为地球是宇宙的中心，我们在天空中看到的一切，无论是太阳、月亮还是其他行星、恒星，它们都在围绕着地球转动……"

比特凑到圆球模型那里，好奇地闻了闻，然后趴在了桌子旁边。"……从现象上看，他们的说法确实有一定道理，我们每天都能看到太阳升起，从天空的一边移动到另一边，然后便落下不见了……"哥白尼拨动了一下模型，"然而，

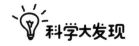

经过长时间的研究，我认为，太阳才是中心，而地球和其他太阳系行星是围绕太阳运转的。"

"您写的那本书讲的就是这个科学大发现？"哥白尼的话音刚落，蒋方就问道。

"是的。我在这本书中详细讲解了行星的运行轨道和运行规律。"哥白尼突然剧烈地咳嗽起来，样子非常痛苦。

鲁克赶忙说："谢谢您，哥白尼先生。我们不占用您宝

贵的时间了。您一定要保重身体啊！"

鲁克按下了返回键，他们周围的影像消失了。

"他的书后来出版了吗？"何敏问。

"他的书不仅出版了，而且在当时引起了巨大的轰动。可是，有很多人为了掩盖真相，坚决否认哥白尼的理论。"鲁克难过地说，"《天体运行论》出版后不久，哥白尼就去世了。"

"真是太可惜了。"何敏有些伤心。

"是呀。咱们现在去看看太阳吧。"

"太阳？"蒋方有些不解地问，"不就是天上那个又大又亮的火球吗？咱们不是每天都能看到它吗？当然，阴天的日子除外。"

"我保证你肯定没见过这样的太阳。"鲁克煞有介事地说。

一道闪光！

时空转换——

闪光并没有完全熄灭，大家的眼前突然出现了一个硕大无比的火球，火球表层非常活跃，就像一个翻腾搅动的岩浆球，时而平静如水，时而翻江倒海，一时间激起巨大的烈焰火环，从太阳表面迸射出来。

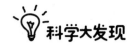

"这就是我们每天看到的太阳？"何敏惊讶不已。

"是的，很震撼、很神奇吧？要不是亲眼所见，完全无法想象一个天体竟然蕴含着这么大的能量。它的质量是地球的30万倍，体积更夸张，相当于100万个地球那么大！"

"那太阳是由什么构成的呢？"何敏追问。

"构成太阳的主要成分是氢。"鲁克一边查阅资料，一边回答。

"既然是由氢构成的，那为什么太阳浑身都是火呀？"

"构成太阳的并不是氢气，而是氢的等离子体。"鲁克

解释，"而且，我们看到的太阳表面是红通通、金灿灿的，但那里并没有着火，而是核聚变反应带来的效果。"

"核聚变？我只知道原子弹的威力来自于核裂变反应。"蒋方接话道。

"与核裂变正好相反，在太阳的中心，原子核中拥有一个质子的氢通过聚合反应变成了氦。"鲁克看着手机给大家讲解，这些知识太深奥了。

"氢和氦究竟是怎么转换的呢？"蒋方刨根问底。

"是这样的，太阳非常非常大，重量也非常非常大，所以由于引力作用，太阳中心的压力极其大，那里的氢就会在强大的压力作用下被挤压和摩擦，从而发生核聚变反应。"

"抱歉，鲁克，你能讲得再通俗点儿吗？我完全没听懂。"宁宁请求道。

"宁宁，别着急。我慢慢来解释。是这样的，就像盖房子的砖块一样，世界上所有东西都是由微小的'砖块'构成的，这些'砖块'就是原子。在巨大压力的作用下，太阳内部的氢原子在相互碰撞、挤压、破碎、结合之后，变成了另一种原子，就是氦，它的原子核中有两个质子。这个变化过程就是核聚变。"

"是氦原子在让太阳发光发热吗？"宁宁继续提问。

"不是，让太阳发光发热的巨大能量来源于氢原子聚变成为氦原子的过程。"

"真是不可思议，小小的原子竟然能释放出如此巨大的能量！"蒋方不住地感叹。

"对了，鲁克，太阳是恒星吧？"宁宁问。

"对呀。在浩瀚的太空中，太阳只能算是一颗中等大小的恒星。"鲁克说。

"中等大小？宇宙中有比太阳还大的恒星？"何敏觉得这个答案出乎意料。

"嗯，确实如此。我想，咱们可以到20世纪30年代找个人，她是研究恒星的专家。"

"她？谁？"

44

数星星的人

　　鲁克迅速按下"虫洞"应用程序的功能键，眼前的影像一下子暗淡下来，取而代之的是一位女士，她正在桌子前用放大镜仔细观察一块玻璃片。

　　"这位是安妮·坎农小姐，她所开发的光谱系统，帮助全世界科学家对恒星进行分类。"鲁克兴奋地讲解起来，"现

在是 1896 年，要知道，在那个年代，女性是没有什么社会地位的，她开展科学研究的难度可想而知。"

"坎农小姐，您好！"

……

"咦，她为什么不理咱们？"宁宁一头雾水。

"她的听力可能不太好，听说她 17 岁的时候感染了猩红热，几乎完全丧失了听力。所以，咱们和她说话得大点儿声。"

"坎农小姐，打扰了！"宁宁大声说。

"你们好！抱歉，我刚才在工作，不知道你们来了。欢迎，欢迎！"坎农转过头来，微笑着对大家说，"我正在给恒星分类，这既是我的工作，也是我的生活。"

何敏疑惑地问："给恒星分类？天上的星星多得数不清，您得给多少颗恒星分类呀？"

"到现在，我已经给 30 万颗恒星分类了。"

"30 万！这简直就是天文数字！我一辈子也找不到这么多颗恒星呀！"蒋方惊讶地说。

"这需要很大的毅力和恒心。我是通过观察这些感光底板上的图像来给恒星分类的。现在，我一小时能给 200 多颗恒星进行分类。我已经干了 20 多年了，我想我还得再快些，

还有很多恒星没有分类呢。"坎农流露出焦急的神情。

"那您是如何给恒星分类的呢？"何敏问。

"问得好。我们知道，有些恒星很大，远大于太阳，有些则比太阳小，它们发出的光亮度不尽相同。根据恒星的这个特点，我按照恒星发出的光的明亮程度研究制定了一套分类系统，把恒星划分为7个大类。"

鲁克转过头来小声对大家说："坎农小姐的这套系统一直沿用到了今天。后来，她又给大约35万颗恒星进行了分类，经她分类的恒星是最多的。"

"坎农小姐真厉害呀！"何敏对面前的这位女科学家充满了崇敬。

"谢谢你的夸奖！如果你也对这项工作感兴趣，希望你能加入我们，我认为科学界应当有更多女性加入。"坎农小姐高兴地说，"要是没什么事情的话，我要继续工作了，这些恒星可不会自己归类。"

小伙伴们和坎农道别后，鲁克按下返回键。大家回到了鲁克家的院子里。

"真难以相信她能给那么多恒星归类，这种坚持不懈的精神让我十分敬佩，我开始有点儿喜欢太空了。"

蒋方抬起头望了一眼阴沉的夜空，说："坎农小姐是不是把天上所有的恒星都分类了？咱们可真惨，现在一颗星也看不到。"

"其实，即使晴空万里，咱们也看不到那么多星星。"鲁克上前拍了拍蒋方的肩膀。

"那能看到多少呢，鲁克？"宁宁追问。

"能看到 9000 多颗吧。"

"我想她一定数遍了天上所有的星星。"蒋方感叹道。

"差得远呢。恒星分布在各个星系之中，光太阳系所在的星系——银河系，就有 1000 亿到 4000 亿颗恒星呢！"

"等等，这个数字跨度也太大了吧！"何敏惊讶地说。

"嗯，确实。科学家们也很难确定出具体的数字，就算用世界上最好的望远镜，也无法看到银河系里所有的恒星，它们或是被太空中的尘埃挡住了，或是距离地球太远了，或是不够明亮。要知道，银河系是非常非常大的。"

"有多大呢？"何敏问。

"银河系里离太阳最近的恒星距离太阳 40 万亿千米。而大多数恒星之间的距离要比这个还大，所以用千米这个长度单位来衡量恒星之间的距离显然不合适。"

"那用什么单位好呢，鲁克？"蒋方追问。

"光年，就是光在太空中用一年时间传播的距离。"

"光的传播距离？"这回是宁宁提出了问题。

"对，光的传播也是有速度的，光在真空中的传播速度约为 29.98 万千米每秒，我们在日常生活中根本无法察觉到光的速度，因为光跑得实在太快了！"

"哇！难怪我总觉得打开灯的一瞬间，屋子就全亮了。"何敏马上联想到了生活中的常见现象。

"1 光年大约有 9.46 万亿千米，而银河系的直径足有 10 万光年。"

"1 光年是 9.46 万亿千米，银河系的直径是 10 万光年，9.46 万亿千米乘以 10 万……我已经不知道如何读出计算结果了！"蒋方掰着手指头，数着数字的位数。

"是呀，这些数字弄得我脑子都乱了。更让人头晕的是，科学家们认为宇宙中有大约 1000 亿个星系！来，看看这幅图。"鲁克一边说，一边用手机投射出一幅图片，上面展示出了许多星系，"这几个星系是银河系和咱们银河系附近的几个星系。"

"哪个是银河系呀？"宁宁眯着眼睛仔细看着图片。

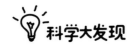
　　"喏，就是这个，看起来像一个扁平的盘子，中心最亮，向外伸出了几条旋臂。这类星系被统称为旋涡星系。"

　　"那个呢？"何敏指着另一个星系问。

　　"那是M32星系，是位于仙女座的椭圆星系，从形状上看，它像个胶囊。"

　　"那个带着水滴一样斑点的呢？"蒋方问。

　　"那个是IC3583星系，它的结构很难辨别，科学家们称这种星系为不规则星系。"鲁克细致地给大家讲解，"科学家们发现，根据外形来分，星系大致可以分为椭圆星系、不规则星系和旋涡星系3种。"

何敏疑惑地问："鲁克，你知道这些星系的名字为什么只是一组代号吗？给它们起名字的科学家可真没有创意。"

"我知道有一个人能给我们一个合理的解释。"鲁克又掏出了手机。

一道闪光！

时空转换——

闪光过后，几个小伙伴的面前赫然出现了一架望远镜，巨大的镜筒伸出了金属穹顶。一位先生坐在望远镜旁，一边调试，一边心不在焉地敲着手里的烟斗。

鲁克对几个小伙伴说："这位就是爱德文·哈勃。他第一个意识到，夜空中一些模糊的光团是银河系之外的星系，那些星系和银河系一样巨大、一样美妙。"

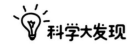

"不仅如此，我还发现那些星系离咱们越来越远。"哈勃听到了大家的话，他站起身，友善地和大家一一握手，"欢迎来到威尔逊山天文台，这是我工作的地方。"

"我们想向您请教一个问题，就是这些星系是如何命名的呢？"鲁克直截了当地提出了问题。

"它们的名字可真无聊。"宁宁补充道。

哈勃大笑起来，说："对，你这么一说，我发现这些名字还真是很单调呢。其实，这些名字与科学家们记录天体的方法有关，科学家们使用的是特殊的编目方法。举个例子，你们听说过由字母 M 和数字组成的星系名字吗？"

"比如 M32 星系？"蒋方想起了这个名字。

"对，有这个星系！其实，M 代表的是梅西耶，它是用18世纪末期法国天文学家查尔斯·梅西耶的名字进行编目的。"

"那 IC3583 星系呢？"何敏紧跟着问。

"IC 代表星云星团新总表续编，以 IC 开头的星系都被收录在这个总表里。"哈勃不紧不慢地解释。

"您是借助这架望远镜来观测天体的吗？"蒋方好奇地观察着眼前这架巨大的望远镜。

哈勃笑了笑，说："对呀。大家都说深更半夜观测浩瀚

的太空，又孤单又寒冷，我却很享受这种感觉，我相信人们一定会有很多新的发现。"

"您一定会看到这些新发现的！"鲁克坚定地点点头。

哈勃却摇了摇头，说："人的寿命是有限的，我肯定无法亲眼看到所有的新发现，但是我相信在大家的努力下，未来的新发现一定会层出不穷。也许你们长大了，就会有一些新发现。"

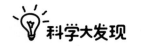

向深空进发

鲁克关闭了"虫洞"应用程序，天文台瞬间消失了。

"哈勃先生在 1953 年去世了。不过，从某种意义上说，他还在寻找新的天体。"

"什么意思？"何敏觉得很惊讶，"人去世了还能继续做研究？"

"为了纪念哈勃，人们以他的名字为一架望远镜命名，这可不是一般意义上的望远镜。1990 年，这架望远镜被发射到了地球轨道上。由于避免了地球大气层的干扰，哈勃望远镜能拍摄出非常清晰的太空影像。"

"真厉害！鲁克，我想，爱德文·哈勃要是知道了，肯定打心眼儿里高兴。"

"一定会的！其实，人们在探索宇宙的征程上，远不止发射了哈勃望远镜。"

"还发射了别的东西？"蒋方问。

"人们发射了很多很多探测器，用来探测和收集地球周围的信息。这些探测器里没有航天员，所以能在太空里不间断地飞行。"

"它们能探测到什么信息呢？"何敏问。

"任何我们所能想到的信息。一些探测器会环绕天体进行观测，还有的会直接降落到天体表面，让我们仔细观察天体表面的样子。"

"我还是不太知道这些探测器的模样，咱们能去看看吗？"宁宁急切地拽了拽鲁克。

"没问题！"

一道闪光！

时空转换——

"我认识这里，咱们怎么又回到火星了？"蒋方踩了踩地上的红土。

"没错，这里确实是火星。我们来这里，是因为探测器来到这里了。"

鲁克话音未落，一台六轮小车慢悠悠地驶过来，在大家身边徐徐停下。

"这是……小汽车？我记得人类只登上过月球呀！"何敏惊讶地说。

"难道这是传说中的火星人？"蒋方迟疑地猜测。

55

鲁克笑了起来，说："没有航天员，更没有火星人！这是好奇号火星探测器，咱们可以把它想象成一辆大号的远程遥控车，或者是介于遥控车和机器人之间的装置。"

大家仔细观察这个探测器，它有小汽车那么大，既没有车门，也没有车窗，满身都是奇形怪状的零部件和探测设备。

"那么，谁在驾驶这辆车呢？"蒋方绕着好奇号看来看去。

"地球上的科学家们在控制着它呢。"

"那它来这里能做些什么呢？"宁宁紧跟着问鲁克。

"等我查一下资料……"鲁克一边在手机上查找资料，

一边给大家介绍，"网上说，好奇号作为火星探路者，它身上的摄像机可以向地球发送照片。此外，好奇号上还安装了光谱仪，帮助人们获取更多有用的基础信息，比如探测和分析火星岩石中的矿物质含量和比例什么的。"

"这就是镜头吧？"蒋方凑到好奇号的摄像机前，朝着镜头龇牙咧嘴，"要是真在火星上，咱们这么搞恶作剧，肯定会把地球上的科学家们吓一大跳。"

伙伴们都大笑起来。

"还有更有趣的呢，稍等一下。"鲁克的手指在手机屏幕上快速滑动，火星表面的影像消失了，大家来到了一间明亮、宽敞、干净的装配车间，车间中央是一艘巨大的宇宙飞船，飞船的顶部架着卫星天线，样子像极了一口大锅。一群穿着工作服、戴着防毒面具的工作人员正在仔细地检查飞船。

鲁克说："现在是 1977 年。咱们眼前的这艘飞船是旅行者号探测器，工作人员正在为它的发射做着最后的准备。"

"它要去执行什么任务？"何敏问。

"人们希望旅行者号能够探访木星、土星、天王星和海王星。事实上，它已经成功探访了这些行星，向地球发回了无数的信息。看那边！"鲁克指着旅行者号的一个金光闪闪

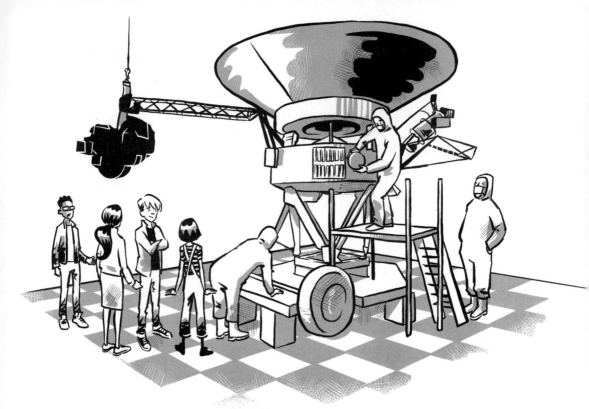

的零件说。

大家顺着鲁克手指的方向看去，那是一个金色的圆盘一样的东西。

"封套里面是一张镀金的唱片，上面有很多细凹槽，凹槽携带着关于地球的各种信息，包括许多声音拷贝，比如人们聊天的声音、鲸的歌声、各种类型的音乐等。"

"探测器为什么要携带这张唱片呀？"何敏问。

"我觉得，人们是想，万一旅行者号遇到了外星生命，

外星生命可以通过播放这张唱片来了解地球的一些信息。"

"真的会有外星生命吗？咱们去了太阳系的八大行星，除地球之外，并没有其他生命存在啊。"

"要知道，发射旅行者号的时候是 1977 年，人们还不能确定其他行星上是否有外星生命存在。而且旅行者号在飞离海王星之后，去了更远的地方，目前已经飞离太阳风层，进入了星际空间。宇宙这么大，说不定会有其他生命存在呢。"

"旅行者号最终会飞到哪里呢？"宁宁好奇地问。

"就是飞进太空啊。科学家们希望探测器的电池能多维持几年，这样的话，探测器就可以继续向地球发送信息。而且，即使有一天旅行者号和地球失去了联系，还会继续在太空中前进。"

"某一天，某个地方，有一个外星人发现了这张镀金唱片……真有意思！"蒋方边想象奇妙的情景，边自言自语。

"这种可能性真是太小了，不过，并不是没有可能。"

"太空里有其他生命存在吗？"宁宁问。

鲁克关掉了"虫洞"应用程序，"这是个值得讨论的问题。"

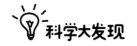
"金发姑娘"

"等一下。"见过哈勃之后，鲁克去车库里拿来一根粉笔，然后蹲下来，在车道旁边的人行道上一边画，一边说，"这是太阳，周围这些是太阳系中的其他天体……我画的只是个示意图，要是按照它们之间的真实间隔比例画的话，这块地面可不够咱们画的。"

"画它干吗？咱们刚才不是都看过了吗？"宁宁觉得鲁克没必要这么费劲儿。

"我想解释一下人们是如何追踪外星人的。"

"可是刚才你不是说太阳系里除了地球，没有其他星球有生命吗？"何敏提醒鲁克。

"以人们现在的认识水平，生命产生和存续的条件是非常苛刻的，这颗行星必须要与恒星有一定距离，不能太近，更不能太远，这样才能保证行星表层有液态水。"

"确实……"蒋方搭话，示意鲁克继续说。

"有了水，生命才能得以延续和发展，至少在地球上是这样。所以，寻找水似乎是寻找生命的一个必要条件。在地

球公转轨道内外的金星和火星，它们一个太热，完全没有水，另一个又太冷，仅有少量的水。而地球与太阳的距离正合适，存在大量的液态水。科学家认为这个区域可能产生生命，因此称其为'宜居带'。有一个童话故事，主人公是一个金发姑娘，她叫古迪洛克，她偷喝了小熊宝宝的粥，因为这个粥既不冷也不热。所以，人们也把宜居带称为'古迪洛克区'。"

"哈哈，你说的是《金发姑娘和三只熊》的童话吧？说得真形象，我一下子就明白了！"何敏夸奖鲁克。

"那科学家该怎么寻找适合生命存在的星球呢？"宁宁急切地问。

"对呀，行星可不像恒星那样又大又能发光。"何敏补充道。

"和当初发射哈勃望远镜一样，科学家们又向太空发射

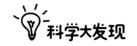

了一架望远镜，让它来寻找类地行星，它叫开普勒太空望远镜。"鲁克不紧不慢地说，"取这个名字是为了纪念生于17世纪的德国科学家约翰尼斯·开普勒。当然，它的用途和开普勒本人没多大关系。"

"科学家又是如何用开普勒太空望远镜去寻找类地行星的呢？"蒋方追问。

"寻找行星可是个复杂的技术活儿。开普勒太空望远镜能扫描成千上万颗恒星，检测它们的亮度，如果有行星从恒星前飞过，就会降低开普勒太空望远镜所探测到的恒星的亮度。这时，科学家们便会进行分析和计算，判断那颗行星是否属于类地行星。"

"探测到的恒星的亮度下降？鲁克，这和日食、月食的道理一样吧？"蒋方问。

"差不多。"

"那开普勒太空望远镜找到处在宜居带的行星了吗？"何敏急切地问。

"到目前为止，开普勒太空望远镜找到了几颗行星，它们和地球差不多大，可能也是岩石星球，有的就是在它所围绕的恒星的宜居带上运行呢！"

"发现的这几颗行星上有生命吗？"蒋方迫不及待地问。

"嗯，你应该先问问这几颗行星上有没有水。"鲁克一本正经地说。

"好好好，按你的思路来问，这几颗行星上有没有水呢？"蒋方一边模仿着鲁克的语气，一边做了个鬼脸。

"不知道……"鲁克摇了摇头。

"真叫人失望啊。"

"是啊，不过科学家一直致力于建造更大、功能更强的望远镜。总有一天，人们能够设法探测出行星上是否有液态水，是否有生命的痕迹。"鲁克坚定地说。

"望远镜能建多大呀？"宁宁问。

鲁克扶了下自己的望远镜，"比这个大多了，望远镜的镜片直径越大，观测效果就越好。这架小望远镜，镜片的直径才70毫米。有的天文台的望远镜，镜片直径有好几十米呢！不过，要是拿这种光学望远镜和射电望远镜比的话，就稍逊一筹了。"

"射电望远镜？我还真没听说过呢，它是什么样子的？会放电吗？"何敏好奇地问。

"别着急，我知道一个看射电望远镜的好地方，咱们准

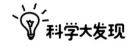

备出发！"

一道闪光！

时空转换——

闪光过后，大家来到了一口巨型的"银色大锅"中间，头顶上吊着一个酷似飞碟的东西，这个"飞碟"被粗大的金属缆绳固定着，连接在锅边的铁塔支座上。

"这是望远镜吗？太大了！"何敏一边四下张望，一边说。

"和它相比，我觉得咱们几个特别像是粥锅里的几粒米。"宁宁哈哈大笑。

"咱们这是在中国贵州省黔南布依族苗族自治州，这是世界上最大、最灵敏的单口径射电望远镜，是 500 米口径的

球面射电望远镜，这口'大锅'其实是射电望远镜的反射面，面积有 30 个足球场那么大呢！人们把它称为'中国天眼'。"鲁克翻看着手机给大家介绍起来，"在天文学家南仁东的带领下，'中国天眼'于 2016 年 9 月 25 日正式落成启用。"

何敏低头看着脚下的反射面，"射电望远镜的样子真奇怪，怎么用它探索宇宙呢？"

"咱们平常用的望远镜是光学望远镜，它们通常只能观测和捕捉可见光，而射电望远镜不仅能探测到可见光，还能探测、捕捉辐射和可见光波段之外的电磁波。"

"它真能找到外星生命吗？"蒋方迫不及待地问，"这是我最关心的。"

鲁克答道："对，它的一个主要功能就是搜索和监听外星生命的迹象。"

"迹象？"何敏好奇地问，"外星生命有什么迹象？咱们能听到外星人的交谈？"

鲁克说："咱们虽然很难想象外星生命会怎样交谈，但它们很可能会发出一些有规律的信号，那种不同于自然界存在的信息。"

"真的会有这种信号吗？"宁宁觉得不可思议。

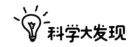

"嗯，科学家们曾经发现了一些奇怪的信号，但是直到目前还无法完全确定这些信号是外星生命发出的。"鲁克说。

"那射电望远镜能发射信号吗？"何敏说。

鲁克说："能，不过别抱什么期望，天体间的距离对于我们来说非常远，即使射电望远镜发出的信号跑得和光一样快，要到达距离咱们最近的比邻星，也得 4 年时间呢。"

"要是这样的话，也许人类永远也找不到太空里的生命迹象。"蒋方泄气地说。

"别想这些了，咱们虽然找不到外星生命，但可以往东北发送消息啊，相比之下，这个距离确实很短。"鲁克安慰蒋方。

"这倒也是……"蒋方虽然嘴上这么说，但他失望的表情一点儿也没变。

"咱们先回去吧。"鲁克拍了拍蒋方的肩膀。

真的有外星人吗

伴随一阵闪光，"中国天眼"的影像越来越模糊。

何敏坐下来仰望天空，兴奋地喊道："快看，云散开了！鲁克，你的望远镜可以派上用场了。"

"太好了，看来我的准备没有白费！"鲁克把早已准备好的观星设备打开，动作十分麻利，"何敏，我发现你好像喜欢上太空了。"

"嗯，以前我从没意识到，原来天上还有那么多我们不知道的东西。"

"虽然到目前为止还没有发现外星生命……"蒋方开玩笑地搭话。

比特发现大家都忙活起来，伸了个懒腰，兴冲冲地跑了过来。

鲁克一边抚摸比特的后背，一边故作神秘地说："其实，你说的不够准确，等一会儿天空放晴后，我会告诉你太空真的有生命，而且还能告诉你他们在哪里。"

"太空里有生命？"宁宁惊讶地瞪大双眼。

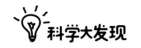

"在太空的航天员呀！"

"哈哈，我知道你在卖关子。"蒋方笑着说，"不过，话说回来，如果你直接打开'虫洞'应用程序带我们去看望'天上的生命'的话，我想我会和宁宁一样惊讶。"

"这就打开！"

一道闪光！

时空转换——

大家来到一个奇怪的房间，这间屋子难以分出上下左右，每一面墙上都布满了显示屏、键盘、电线、不断闪烁的小灯和其他设备，整个房间就像一个六棱柱。

"我飘起来啦！"何敏尖叫起来。

"别紧张，这是'虫洞'模拟出来的失重的感觉。"鲁克解释道。

"无论如何，我喜欢这种感觉。"宁宁灵巧地翻了个筋斗，"真好玩儿！过来，比特，咱们玩儿转圈圈吧。"

比特听到宁宁的召唤，挥动爪子在空中刨了几下，可是它没控制好身体，朝着反方向飘了出去。

何敏逐渐适应了虚拟失重状态，她回过头问鲁克："这是哪儿呀？航天员训练舱吗？"

　　"这里是国际空间站。它是一个巨大的空间实验室，长73米，宽109米，比一个标准足球场还大一些。它在距离地面约400千米的外太空绕着地球运行。"

　　"航天员呢？"蒋方问。

　　"我在这儿呢。"从房间的另一侧传来一个声音。

　　大家回过头来，看到一位女士正在缓缓飘来，她穿着一身蓝色连体服，金黄色的马尾辫竖过了头顶。

　　"欢迎你们到国际空间站做客。"

　　"您在这里工作吗？"何敏飘上前问。

　　"是的，我是在空间站工作的航天员，目前站里有3个人，

我们正在研究人类如何更好地适应太空环境。"航天员微笑着给大家介绍空间站里的情况，"这包含各种各样的实验项目，不过从另一方面说，我们待在这里本身就是一项很好的实验。相信你们早就发现了，在空间站和在地球有着很多不一样的地方。"

"您说的对，我不能确定自己能不能适应这种一直飘在天上的感觉。"蒋方一边说，一边努力不让自己到处飘。

"哈哈，不仅仅是我们的身体会到处飘，空间站里所有没被固定的东西都是飘着的。就算你把水弄洒了，水也会飘在空中，我演示给你看。"她拿来一个装满饮用水的水袋，往空中挤了一点点水，神奇的事情发生了，挤出来的水不仅没有下落，反而分成几颗圆圆的水珠，摇摇晃晃地悬在了空中。她捅了一下何敏，说："试着把它们吞下去。"

何敏飘向水珠，然后仰着头，把它们吞进了嘴里。她咽下凉凉的水珠后，咯咯地笑着说："哇！太好玩儿了！太好玩儿了！"

"很棒，是不是？这种喝水的方式让我玩儿多少次都不会觉得腻。"她转了一下眼珠，笑着说道，"要是问我到这里之后最不习惯的是什么，那绝对就是睡觉了。航天员得把自

70

己绑在床上，这样在睡觉时才不会到处乱飘。"

"挂在墙上睡觉？那得多难受啊！"宁宁皱了皱眉。

"在这儿是没有上下左右之分的，因为这里是失重环境。"航天员笑着说。

"您刚才说目前空间站有 3 位航天员，另外两位呢？"鲁克伸长了脖子看向航天员的身后。

"他们两个正在外面执行太空行走任务。"她指了指窗外两位穿着白色航天服的同事，"他们在对空间站进行日常维护工作。"

"这里的风景太美了！"宁宁兴奋地叫起来，"我真想出去看看。"

航天员点了点头，"太空行走的机会很难得，我也只出去过一次呢。我和你一样，也总是渴望能到舱外去看一看。"

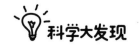

"地球！"

小伙伴们挤在窗前，只见白色大气层包裹着地球，云层、陆地和海洋都一览无遗。

航天员说："在这里看到的地球，并不像世界地图画的那样，一块红一块绿的，地图上的颜色是人们按照一定规律设计上去的，真实的地球非常美！"

"长大以后我也要来这儿工作。"何敏满怀憧憬地说，"不过……一想到要坐在拥挤狭窄的火箭里起飞，我又打起了退堂鼓。"

"千万不要放弃梦想。记得当时我在乘坐火箭时，也吓得够呛。但我又想了想目的地和出发的原因，紧张的心情一下子好了很多。"

"第一批进入太空的航天员，他们在起飞的时候，岂不是更害怕？"鲁克转过头来问航天员。

航天员点点头，说："的确如此。比如我的偶像捷列什科娃，她是人类历史上第一位女航天员。那时候人们对太空的了解十分有限，航天员进入太空肯定比现在的风险大多了。"

"而且那时候的航天科技也没现在这么发达。"鲁克补充道。

"对，所以说航天先驱们真的是太勇敢了，咱们应该由衷地感谢他们。"航天员继续说，"对了，咱们不仅要感谢那几位航天先驱，也应该感谢曾经到访太空的小动物，比如小狗。"

宁宁吐了吐舌头，不好意思地说："您发现比特了呀？我刚才还怕你们不欢迎小狗，特意把它给藏起来了。原来小狗是可以进入空间站的。"

"小狗可是比咱们人类更早进入太空的！其实，很多动物都先于人类进入了太空。1957 年，第一批乘飞船进入太空的动物里，有一只叫莱伊卡的小狗。7 年之后，也就是 1964 年，人类才第一次进入太空。"航天员笑着说，"不介意的话，我要先告辞了，或许将来我有机会和你们共事呢。"

"是呀，我很期待。"何敏挥挥手，依依不舍地和航天员告别。

鲁克关上了"虫洞"应用程序，大家眼前的影像逐渐消失了。

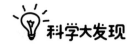

 未解之谜

何敏用充满渴望的眼神凝视着漆黑而又深邃的夜空，"经过这几趟虚拟太空之旅，我发现，虽然咱们了解了很多太空知识，可还是有许多我们不知道的地方。如果我长大后能到空间站工作，肯定还能有更多的发现。"

鲁克对何敏的话表示赞同："确实是。关于太空，还有很多的未解之谜，比如黑洞。"

"黑洞？太空中还有洞吗？"宁宁问。

"在恒星即将灭亡时，恒星会在自身重力作用下急剧坍缩、爆炸，在这个过程中，恒星的密度变得越来越大，引力也更强了。最终，强大的引力使得任何靠近它的东西都无法逃脱。"鲁克比画着说。

"任何靠近它的东西？"蒋方觉得难以相信。

"对，任何靠近它的东西，连光也无法逃脱它的吸引。"

"感觉像是个下水道一样。"何敏打了个比喻。

"那宇宙中有多少个黑洞呢？"宁宁问。

"不知道，但许多科学家都认为银河系中心就是个黑洞。"

"啊！咱们就在银河系，那可完蛋了！"蒋方沮丧地喊道。

"别担心，那个黑洞离咱们远着呢。"鲁克拍了下蒋方的肩膀。

"虽然和咱们没什么关系，但是听起来还是挺吓人的……有没有不那么可怕的未解之谜？"宁宁问。

"有啊，暗物质。科学家们通过分析天体的运动、牛顿万有引力现象、引力透镜效应、宇宙的大尺度结构的形成、微波背景辐射等，发现暗物质可能大量存在于星系、星团及宇宙中，其质量远大于宇宙中全部可见天体的质量总和。"

"那意味着什么呢？"何敏好奇地问。

鲁克说："意味着宇宙中还有咱们看不到的物质。这些神秘物质被称作暗物质，也叫不可见物质。"

"这可真够奇怪的。"宁宁做思考状。

"人们看不到暗物质，是不是因为宇宙空间里全是黑的呢？"蒋方猜测。

"这个想法很有意思，我们知道，宇宙中的天体要么发光，要么反光，要么遮光，可是暗物质根本没有这些功能。我特别想解开这个谜题，可是现在我懂得的知识还不够丰富。"鲁克滔滔不绝地说，"除了暗物质之外，还有暗能量，这是一种神秘的能量，它能把各个星系推得距离彼此越来越远，可没人能直接观测到这种能量。还有……"

就在鲁克越讲越兴奋的时候，蒋方的手机突然响了起来，他紧张地拿起手机，离开伙伴们，走到旁边去接听。不一会儿，他蹦蹦跳跳地回来了，心中的喜悦之情溢于言表。

"我不用搬家去东北了！妈妈说，她的单位刚好空出个职位来，她可以换工作，这样，我们一家就不用去东北啦！我先回家了，把已经收拾好的东西给拿出来。"

伙伴们听到这个消息，纷纷和蒋方击掌庆祝，催他赶紧回家布置自己"失而复得"的小屋。

这时，天上的云已完全散去，深蓝色的夜空中繁星点点。

鲁克一边用望远镜看着夜空，一边兴奋地说："快看！天上那道光是国际空间站！"

大家齐刷刷地抬起头，注视着那颗小小的光斑从天空的一头划向另一头。

"蒋方不用搬家了，反倒弄得我想去东北玩儿了。'虫洞'应用程序好是好，但是我有点儿玩腻了虚拟旅行。"

"到时候咱们一起去呗，我还挺喜欢和蒋方一起玩儿的。不过，你们可别告诉他啊。"宁宁有点儿不好意思。

　　"我也喜欢他和咱们一起玩儿。"何敏一边说，一边看着国际空间站飞出了视野，"如果一切顺利，总有一天，我能到比东北还远的地方……"

和科学家面对面

尼尔·阿姆斯特朗

尼尔·阿姆斯特朗(1930—2012)，美国航天员、试飞员、大学教授。1969年7月，阿姆斯特朗在执行阿波罗11号任务时，踏上月球，迈出了"人类的一大步"。

约翰·波得

约翰·波得(1747—1826)，德国天文学家。他通过计算，成功描述出天王星的运行轨道，并为它命名。波得还发现了M81星系，因而该星系被称为"波得星系"。

埃德蒙多·哈雷

埃德蒙多·哈雷(1656—1742)，英国天文学家、地理学家、数学家、物理学家。他准确地预测了哈雷彗星做回归运动的事实，并发现了天狼星、南河三和大角这3颗星的自行，以及月球长期加速的现象。

尼古拉·哥白尼

　　尼古拉·哥白尼 (1473—1543)，波兰天文学家、数学家。他在 40 岁时提出行星围绕太阳运行的日心说，在欧洲引起轰动。

安妮·坎农

　　安妮·坎农 (1863—1941)，美国天文学家。她在恒星光谱分类方面做出了开创性的工作，彻底改变了对恒星的分类方式，被称为"天空普查员"，现今使用的恒星分类系统就是在她的那套系统上发展而来的。

爱德文·哈勃

　　爱德文·哈勃 (1889—1953)，美国天文学家，是研究现代宇宙理论最著名的人物之一，河外天文学的奠基人和提供宇宙膨胀实例证据的第一人。

著作权合同登记　图字：01-2020-4362 号

图书在版编目（ＣＩＰ）数据

壮观神秘的太空 ／（美）保罗·哈里森著 ；许若青
译. -- 北京 ：中国少年儿童出版社，2022.1
（科学大发现）
ISBN 978-7-5148-7032-9

Ⅰ．①壮… Ⅱ．①保… ②许… Ⅲ．①宇宙—少儿读
物 Ⅳ．①P159-49

中国版本图书馆CIP数据核字(2021)第199046号

ZHUANGGUAN SHENMI DE TAIKONG
（科学大发现）

| 出 版 发 行： | 中国少年儿童新闻出版总社 |
| | 中国少年儿童出版社 |

出 版 人：孙　柱
执行出版人：赵恒峰

策划编辑：李晓平	责任编辑：曹　靓
著：[美]保罗·哈里森	责任印务：刘　激
译：许若青	责任校对：栾　銮
装帧设计：于歆洋　安　帅　张　鹏	李　伟

社　　　址：北京市朝阳区建国门外大街丙 12 号	邮政编码：100022
编 辑 部：010-57526329	总 编 室：010-57526070
发 行 部：010-57526568	官方网址：www.ccppg.cn

印刷：北京圣美印刷有限责任公司

开本：710mm×1000mm　　1/16	印张：5.5
版次：2022 年 1 月第 1 版	印次：2022 年 1 月北京第 1 次印刷
字数：80 千字	印数：1—6000 册

ISBN 978-7-5148-7032-9　　　　　　　　　　　定价：29.80 元

图书出版质量投诉电话 010-57526069，电子邮箱：cbzlts@ccppg.com.cn